Helpwch eich Plen

Help Your Child

ADNABOD LLYTHRENNAU

Learning about Letters

Elin Meek

Lluniau gan Graham Howells

gomer

Cynnwys

Argraffiad cyntaf – 2004

ISBN 1 84323 274 X

Ⓑ y testun: Elin Meek
Ⓑ y lluniau: Graham Howells

Dymuna'r cyhoeddwyr gydnabod cymorth Cyngor Llyfrau Cymru.

Argraffwyd gan Wasg Gomer, Llandysul, Ceredigion SA44 4QL
www.gomer.co.uk

Rhagair i Rieni

Dyma lyfr i helpu'ch plentyn i adnabod llythrennau. Defnyddiwch ef i gadarnhau'r gwaith sy'n digwydd yn yr ysgol yn y cam sylfaen. Gellwch ddewis gwneud gweithgareddau sy'n seiliedig ar lythyren ar ôl iddi gael ei chyflwyno yn y dosbarth, a thrwy hynny gyfoethogi addysg eich plentyn.

Llyfr i'w ddefnyddio pan na fyddwch chi na'ch plentyn yn rhy flinedig yw hwn. Cael hwyl wrth ddysgu yw'r nod, a gorau oll os medrwch chi gynnig anogaeth a chefnogaeth wrth fynd ymlaen. Nid oes rhaid cwblhau'r holl weithgareddau sy'n perthyn i un llythyren ar yr un pryd os yw eich plentyn yn amlwg wedi cael digon. O gwblhau'r gweithgareddau sy'n perthyn i un llythyren i gyd, gall eich plentyn droi i gefn y llyfr a lliwio'r seren sydd â'r llythyren honno arni.

MWYNHEWCH!

Foreword for Parents

This is a book to help your child to recognise Welsh letters. Use it to consolidate the work happening in school in the foundation phase. You could choose to do activities based on a particular letter after it has been introduced in class. This is how your child will benefit most.

It helps if you choose a time when you and your child aren't too tired. Your child will respond well if you make the activities fun and give him/her plenty of encouragement and praise. The activities linked to one letter don't all have to be completed at the same time if your child has obviously had enough. When your child has completed all the activities linked to one letter, he/she can colour in the star with that letter on the last page.

ENJOY!

O o

1. Lliwia bob rhan o Dwli sydd ag **o** arno.

2. Tynna linell o bob gair sy'n dechrau ag **O** at y llun cywir. Lliwia'r lluniau sy'n dechrau ag **O**.

O G O F

O C T O P W S

P Y S G O D Y N

O R E N

3. Llun o beth yw hwn?
   Rho gylch o gwmpas y gair cywir.

organ

oer

oed

oen

ofn

olwyn

4. Helpa Dwli i ysgrifennu. Ysgrifenna **O** neu **o** ar y llinell bob tro.

oer	__ e r
Owen	__ w e n
ogof	__ g __ f
ochr	__ ch r
Olwen	__ l w e n
oed	__ e d

Lliwia'r seren â'r llythyren **o** arni yng nghefn y llyfr.*

5

A a

1. Edrych ar fola Dwli.
   Rho gylch o gwmpas pob **A**.
   Sawl **A** sydd yna?

Mae ____ **A**
ar fola Dwli.

2. Lliwia'r lluniau sy'n dechrau ag **a**.

3. Rho linell rhwng y llythrennau sydd yr un peth.

a   O

o   A

A   o

O   a

4. Helpa Dwli i ysgrifennu.
   Ysgrifenna **A** neu **a** ar y llinell bob tro.

achos   __ ch o s

Abergele   __ b e r g e l e

ateb   __ t e b

amser   __ m s e r

Aled   __ l e d

aderyn   __ d e r y n

Lliwia'r seren â'r llythyren **a** arni yng nghefn y llyfr.*

DWLI'S HELP FOR PARENTS:
1. Look at Dwli's belly. Draw a circle around every **A**. How many **A**'s are there?
   There are __ **A**'s on Dwli's belly.
   2. Colour in the pictures that start with **a**.
(Answer: afal = apple; angel = angel; arth = bear; allwedd (S.W.)/agoriad (N.W.) = key.
Other words: lorri = lorry; buwch = cow; cwpan = cup; car = car).
3. Draw a line between the letters that are the same.
4. Help Dwli to write. Write **A** or **a** on the line every time.
   (achos = because; Abergele (place-name); ateb = answer; amser = time; Aled (name); aderyn = bird).
* Colour in the **a** star at the back of the book.

C c

1. Lliwia olion traed Dwli os oes **C** neu **c** arnyn nhw.

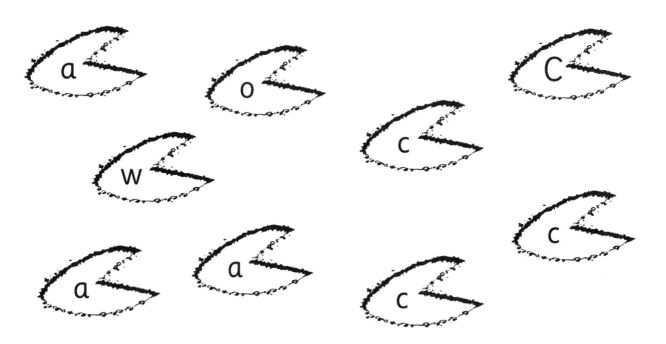

2. Tynna linell rhwng y llun a'r gair cywir.

coeden

cath

cloc

car

camel

3. Llun o beth yw hwn? Rho gylch o gwmpas y gair cywir.

cwmwl

ci

cwpan

cadair

cwch

cloch

4. Helpa Dwli i ysgrifennu. Ysgrifenna **C** neu **c** yn y bwlch bob tro.

ci   __ i

ac   a __

Carys   __ a r y s

coes   __ o e s

Caerdydd   __ a e r d y dd

5. Tynna linell rhwng y llythrennau sydd yr un peth.

C   O

A   C

O   A

Lliwia'r seren â'r llythyren **c** arni yng nghefn y llyfr.*

DWLI'S HELP FOR PARENTS:
1. Colour in every one of Dwli's footprints that has **C** or **c** on it.
2. Draw a line between the picture and the correct word.
        (coeden = tree; cath = cat; cloc = clock; car = car; camel = camel).
3. What's the picture? Draw a circle around the correct word.
    (Answer: cadair = chair. Other words: cwmwl = cloud; ci = dog; cloch = bell; cwpan = cup; cwch = boat).
4. Help Dwli to write. Write **C** or **c** on the line every time.
    (ci = dog; ac = and; Carys = (name); coes = leg; Caerdydd = Cardiff).
5. Draw a line between the letters that are the same.
* Colour in the **c** star at the back of the book.

E e

1. Edrych ar fola Dwli.
   Rho gylch o gwmpas pob **e**.
   Sawl **e** sydd yna?

Mae ____ **e**
ar fola Dwli.

2. Lliwia'r lluniau sy'n dechrau ag **e**.

3. Rho groes drwy'r cylchoedd sydd heb y llythyren **E**.

(A) (E) (O) (A) (E)

(E) (E) (M) (E) (O)

4. Tynna linell o dan y geiriau sydd yr un peth ym mhob llinell.

enw	enfys	enw
eira	eira	eryr
tebot	eto	eto
ein	ei	ein

5. Helpa Dwli i ysgrifennu. Ysgrifenna **E** neu **e** ar y llinell bob tro.

edrych   __ d r y ch

Ebrill   __ b r i l l

enw   __ n w

Elen   __ l e n

eira   __ i r a

eistedd   __ i s t __ dd

Lliwia'r seren â'r llythyren **e** arni yng nghefn y llyfr.*

DWLI'S HELP FOR PARENTS:
1. Look at Dwli's belly. Draw a circle around every **e**. How many **e**'s are there?
   There are __ **e**'s on Dwli's belly.
   2. Colour in the pictures beginning with **e**.
   (Answer: enfys = rainbow; eliffant = elephant; esgid = shoe; eglwys = church. Other words: ci = dog; cloc = clock).
3. Cross out the circles without **E** on them.
4. Draw a line under the words that are the same in every line.
5. Help Dwli to write. Write **E** or **e** on the line every time.
   (edrych = to look; Ebrill = April; enw = name; Elen (name); eira = snow; eistedd = to sit).
* Colour in the **e** star at the back of the book.

I i

1. Lliwia bob rhan o Dwli
   sydd ag **I** arno.

2. Tynna linell o bob gair sy'n dechrau ag **i** at y llun cywir.
   Lliwia'r lluniau sy'n dechrau ag **i**.

iâ

iâr

cath

iglw

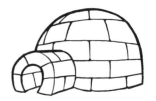

3. Lliwia: bob **i** yn **las**

          pob **e** yn **goch**

          pob **a** yn **wyrdd**

          pob **o** yn **felyn**.

    Paid â lliwio'r llythrennau eraill.

i	o	e	p	m	a	b
s	w	o	i	e	n	a
e	a	a	i	o	t	w
o	o	i	e	a	y	a

4. Helpa Dwli i ysgrifennu.
   Ysgrifenna **I** neu **i** ar y llinell bob tro.

iâr   __ â r

Iestyn   __ e s t y n

isel   __ sel

ci   c __

iglw   __ glw

eira   e __ ra

Lliwia'r seren â'r llythyren **i** arni yng nghefn y llyfr.*

DWLI'S HELP FOR PARENTS:
1. Colour in every part of Dwli that has **I** on it.
2. Draw a line from the words beginning with **i** to the correct picture. Colour the words beginning with **i**.
   (Answer: iglw = igloo; iâr = hen; iâ = ice).
3. Colour every **i** in blue; every **e** in red; every **a** in green; every **o** in yellow. Don't colour the other letters.
4. Help Dwli to write. Write **I** or **i** on the line every time.
   (iâr = hen; Iestyn (name); isel = low; ci = dog; iglw = igloo; eira = snow).
* Colour in the **i** star at the back of the book.

W w

1. Edrych ar fola Dwli.
   Rho gylch o gwmpas pob **W**.
   Sawl **W** sydd yna?

Mae ___ **W**
ar fola Dwli.

2. Lliwia'r lluniau sy'n dechrau gydag **w**.

3. Rho groes drwy'r cylchoedd sydd heb y llythyren **w**.

(w) (w) (o) (w) (w)

(w) (a) (m) (e) (i)

5. Helpa Dwli i ysgrifennu.
   Ysgrifenna **W** neu **w** ar y llinell bob tro.

wal   __ a l

wyth   __ y th

Wiliam   __ i l i a m

wedyn   __ e d y n

wy   __ y

bwrw   b __ r __

Lliwia'r seren â'r
llythyren **w** arni yng
nghefn y llyfr.*

DWLI'S HELP FOR PARENTS:
   1. Look at Dwli's belly. Draw a circle around every **W**. How many **W**'s are there?
      There are __ **W**'s on Dwli's belly.
      2. Colour in the pictures beginning with **w**.
   (Answer: wyneb = face; wyth = eight; wy = egg; wal = wall. Other words: camel = camel; blodyn = flower).
   3. Cross out the circles that don't contain **w**.
   4. Help Dwli to write. Write **W** or **w** on the line every time.
      (wal = wall; wyth = eight; Wiliam (name); wedyn = afterwards; wy = egg; bwrw = to hit /strike + bwrw glaw =
      to rain; bwrw eira = to snow).
   * Colour in the **w** star at the back of the book.

U u

1. Lliwia olion traed Dwli os oes **u** arnyn nhw.

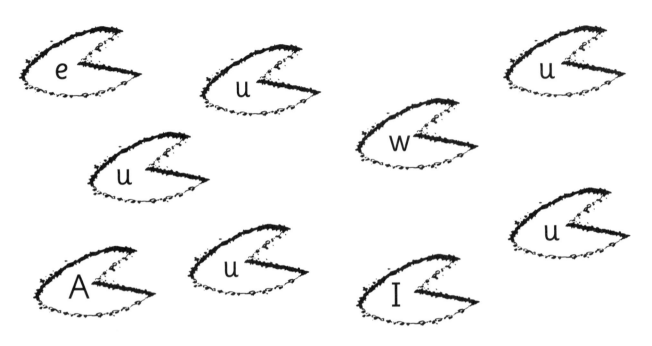

2. Tynna linell rhwng y llun a'r gair cywir.

un

uncorn

utgorn

uwd

3. Tynna linell rhwng y llythrennau sydd yr un peth.

u   a

w   i

e   u

a   o

i   w

o   e

4. Helpa Dwli i ysgrifennu. Ysgrifenna **U** neu **u** ar y llinell bob tro.

uwd   ___ w d

un   ___ n

unig   ___ n i g

Undeg   ___ n d e g

dau   d a ___

uchel   ___ ch e l

Lliwia'r seren â'r
llythyren **u** arni yng
nghefn y llyfr.*

DWLI'S HELP FOR PARENTS:
1. Colour in every one of Dwli's footprints that has **u** on it.
2. Draw a line between the picture and the correct word.
   (utgorn = trumpet; un = one; uwd = porridge; uncorn = unicorn).
3. Draw a line between the letters that are the same.
4. Help Dwli to write. Wrte **U** or **u** on the line every time.
   (uwd = porridge; un = one; unig = lonely; Undeg (name); dau = two; uchel = high).
* Colour in the **u** star at the back of the book.

Y y

1. Edrych ar fola Dwli.
   Rho gylch o gwmpas pob **Y**.
   Sawl **Y** sydd yna?

Mae ____ **Y**
ar fola Dwli.

2. Lliwia'r lluniau sy'n dechrau ag **y**.

3. Rho groes drwy'r cylchoedd sydd heb y llythyren **y**.

(u) (y) (y) (w) (o)

(y) (y) (m) (y) (a)

4. Llun o beth yw hwn? Rho gylch o gwmpas y gair cywir.

yfed

yfory

ysbryd
ynys

yma
ymolchi

5. Helpa Dwli i ysgrifennu.
   Ysgrifenna **Y** neu **y** ar y llinell.

yma   __ m a

Ynyr   __ n __ r

yfory   __ f o r __

dyma   d __ m a

ystafell   __ s t a f e ll

Lliwia'r seren â'r llythyren **y** arni yng nghefn y llyfr.*

DWLI'S HELP FOR PARENTS:
  1. Look at Dwli's belly. Draw a circle around every **Y**. How many **Y**'s are there?
     There are __ **Y**'s on Dwli's belly.
  2. Colour in the pictures beginning with **y**.
(Answer: ynys = island; ysbryd = ghost; ysgol = ladder; ymbarél = umbrella.
Other words: car = car; dafad = sheep).
3. Cross out the circles that don't contain **y**.
4. What's the picture? Draw a circle around the correct word. (Answer: ynys = island.
   Other words: yfed = to drink; yfory = tomorrow; ysbryd = ghost; yma = here; ymolchi = to wash oneself).
5. Help Dwli to write. Write **Y** or **y** on the line every time.
   (yma = here; Ynyr (name); yfory = tomorrow; dyma = here is/this is; ystafell = room).
* Colour in the **y** star at the back of the book.

G g

1. Lliwia bob rhan o Dwli
   sydd â **G** arno.

2. Tynna linell rhwng y llun a'r gair cywir.

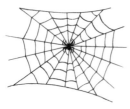

gitâr

gôl

gwe

gwrach

3. Tynna linell o dan y geiriau sydd yr un peth ym mhob llinell.

gweld	gwe	gweld
glo	glo	to
gardd	hardd	gardd
hir	gwir	gwir

4. Lliwia bob **G** yn **las** a phob **C** yn **goch**.

G   C   G   G   C

C   G   G   C   G

5. Helpa Dwli i ysgrifennu. Ysgrifenna **G** neu **g** ar y llinell bob tro.

gweld   __ w e l d

dydd Gwener   d y dd __ w e n e r

gwaith   __ w a i th

Geraint   __ e r a i n t

agor   a __ o r

Lliwia'r seren â'r
llythyren **g** arni yng
nghefn y llyfr.*

B b

1. Lliwia olion traed Dwli os oes **B** neu **b** arnyn nhw.

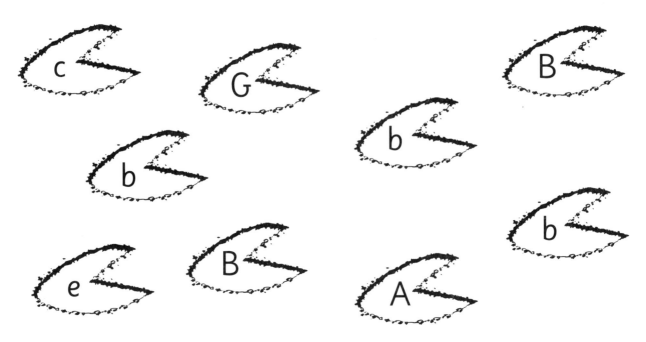

2. Lliwia'r lluniau sy'n dechrau â **b**.

3. Rho groes dros y llythrennau sydd ddim yn y gair.

b a b i

b   a   i   c   b   y

4. Llun o beth yw hwn? Rho gylch o gwmpas y gair cywir.

bath

bawd

beic

basged

baner

bara

5. Helpa Dwli i ysgrifennu. Ysgrifenna **B** neu **b** yn y bwlch bob tro.

baner   __ a n e r

Bedwyr   __ e d w y r

blodyn   __ l o d y n

bara   __ a r a

Bangor   __ a n g o r

blino   __ l i n o

Lliwia'r seren â'r llythyren **b** arni yng nghefn y llyfr.*

DWLI'S HELP FOR PARENTS:
1. Colour in every one of Dwli's footprints that has **B** or **b** on it.
2. Colour in the pictures beginning with **b**.
    (Answer: blodyn = flower; basged = basket; bag = bag; buwch = cow; bys = finger.
    Other word: camel = camel).
3. Cross out the letters that are not in the word.
4. What's the picture? Draw a circle around the correct word.
    (Answer: beic = bike. Other words: bath = bath; basged = basket; baner = flag, bawd = thumb; bara = bread).
5. Help Dwli to write. Write **B** or **b** on the line every time. (baner = flag; Bedwyr (name); blodyn = flower; bara = bread; Bangor (place-name); blino = to get tired, to tire).
* Colour in the **b** star at the back of the book.

23

P p

1. Edrych ar fola Dwli.
   Rho gylch o gwmpas pob **P**.
   Sawl **P** sydd yna?

Mae _____ **P**
ar fola Dwli.

2. Tynna linell o'r llythyren **p** at y lluniau sy'n dechrau â **p**.

p

3. Lliwia bob **p** yn **las** a phob **b** yn **goch**.

(p) (b) (b) (p) (b)

(p) (p) (p) (b) (b)

4. Tynna linell rhwng y llythrennau sydd yr un peth.

p	y
w	b
y	g
b	p
g	w

5. Helpa Dwli i ysgrifennu.
   Ysgrifenna **P** neu **p** ar y llinell bob tro.

paid	__ a i d
pensil	__ e n s i l
Pontypridd	__ o n t y __ r i dd
parc	__ a r c
pacio	__ a c i o

Lliwia'r seren â'r llythyren **p** arni yng nghefn y llyfr.*

DWLI'S HELP FOR PARENTS:

1. Look at Dwli's belly. Draw a circle around every **P**. How many **P**'s are there?
   There are __ **P**'s on Dwli's belly.
2. Draw a line from the letter **p** to the pictures beginning with **p**.
   (Answer: pensil = pencil; paent = paint; pêl = ball; papur = paper; plât = plate.
   Other words: basged = basket; ogof = cave; afal = apple).
3. Colour every **p** in **blue** and every **b** in **red**.
4. Draw a line between the letters that are the same.
5. Help Dwli to write. Write **P** or **p** on the line every time.
   (paid = don't; pensil = pencil; Pontypridd (place-name); parc = park; pacio = to pack).
* Colour in the **p** star at the back of the book.

D d

1. Lliwia bob rhan o Dwli sydd â **D** arno.

2. Lliwia'r lluniau sy'n dechrau â **d**.

3. Lliwia bob **d** yn **wyrdd** a phob **b** yn **felyn**.

(d) (b) (b) (d) (b)

(d) (b) (d) (b) (d)

4. Llun o beth yw hwn? Rho gylch o gwmpas y gair cywir.

dewin

dyn

draenog

dau

dŵr

drws

5. Helpa Dwli i ysgrifennu. Ysgrifenna **D** neu **d** ar y llinell bob tro.

da   __ a

drwg   __ r w g

Dafydd   __ a f y dd

deg   __ e g

adar   a __ a r

Dre-fach   __ r e - f a ch

Lliwia'r seren â'r llythyren **d** arni yng nghefn y llyfr.*

DWLI'S HELP FOR PARENTS:
1. Colour in every part of Dwli that has **D** on it.
2. Colour in the pictures beginning with **d**.
   (Answer: dafad = sheep; dyn = man; dwylo = hands; draenog = hedgehog.
   Other words: bag = bag; gwrach = witch).
3. Colour every **d** in **green** and every **b** in **yellow**.
4. What's the picture? Draw a circle around the correct word. (Answer: dewin = wizard.
   Other words: draenog = hedgehog; dŵr = water; dyn = man; dau = two; drws = door).
5. Help Dwli to write. Write **D** or **d** on the line every time. (da = good; drwg = bad; Dafydd (name);
   deg = ten; adar = birds; Dre-fach (place-name).
* Colour in the **d** star at the back of the book.

N n

1. Lliwia olion traed Dwli os oes **N** neu **n** arnyn nhw.

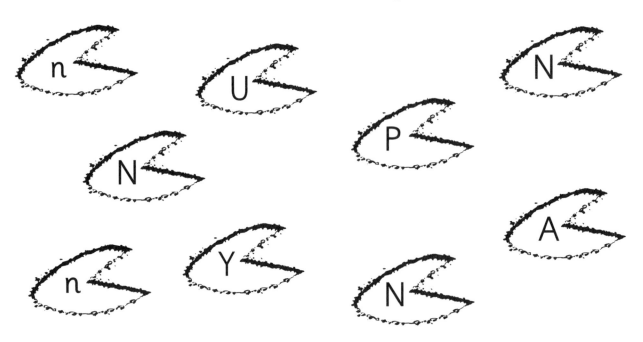

2. Tynna linell rhwng y llun a'r gair cywir.

nyth

nos

nyrs

neidr

3. Rho gylch o gwmpas y gair os oes **n** ynddo fe.

ni   ennill   anorac   basged

newid   bola   ynys   dyn

4. Tynna linell o dan y geiriau sydd yr un peth ym mhob llinell.

ni	na	ni
nant	nant	pant
newid	nyrs	newid
hosan	noson	noson

5. Helpa Dwli i ysgrifennu. Ysgrifenna **N** neu **n** ar y llinell bob tro.

ni   __ i

yna   y __ a

neb   __ e b

Nerys   __ e r y s

neidio   __ e i d i o

newid   __ e w i d

Lliwia'r seren â'r llythyren **n** arni yng nghefn y llyfr.*

DWLI'S HELP FOR PARENTS:
1. Colour in every one of Dwli's footprints that has **N** or **n** on it.
2. Draw a line from the picture to the correct word.
   (Answer: nos = night; neidr = snake; nyth = nest; nyrs = nurse.)
3. Draw a circle around the word if it has **n** in it.
4. Underline the words that are the same in every line.
5. Help Dwli to write. Write **N** or **n** on the line every time.
  (ni = we/us; yna = there, then; = nobody; Nerys (name); neidio = to jump; newid = to change).
* Colour in the **n** star at the back of the book.

H h

1. Edrych ar fola Dwli.
   Rho gylch o gwmpas pob **h**.
   Sawl **h** sydd yna?

Mae _____ **h**
ar fola Dwli.

2. Tynna linell o'r llythyren **h** at y lluniau sy'n dechrau â **h**.

3. Lliwia bob **h** yn **oren** a phob **n** yn **las**.

(n)　　(h)　　(n)　　(h)　　(h)

(h)　　(h)　　(n)　　(n)　　(h)

4. Tynna linell rhwng y llythrennau sydd yr un peth.

H	N
D	P
N	H
P	B
B	D

5. Helpa Dwli i ysgrifennu. Ysgrifenna **H** neu **h** yn y bwlch bob tro.

hi	__ i
Hari	__ a r i
hen	__ e n
Heledd	__ e l e dd
heno	__ e n o
gwahanol	g w a __ a n o l

Lliwia'r seren â'r llythyren **h** arni yng nghefn y llyfr.*

DWLI'S HELP FOR PARENTS:

1. Look at Dwli's belly. Draw a circle around every **h**. How many **h**'s are there?
   There are __ **h**'s on Dwli's belly.
2. Draw a line from the letter **h** to the pictures beginning with **h**.
   (Answer: het = hat; haul = sun; hances = handkerchief; heol = road; hipopotamws = hippopotamus.
   Other words: pêl = ball; drws = door; dyn = man).
3. Colour every **h** in **orange** and every **n** in **blue.**
4. Draw a line between the letters that are the same.
5. Help Dwli to write. Wrte **H** or **h** on the line every time. (hi = she/her; Hari (name); hen = old;
   Heledd (name); het = hat; heno = tonight; gwahanol = different).
* Colour in the **h** star at the back of the book.

M m

1. Lliwia olion traed Dwli os oes **m** arnyn nhw.

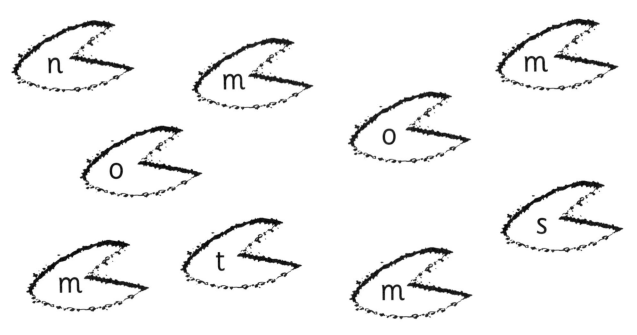

2. Tynna linell o'r gair sy'n dechrau â **m** at y llun cywir.
   Lliwia'r lluniau sy'n dechrau ag **m**.

mwnci

modrwy

iâr

merch

3. Rho groes drwy'r cylchoedd sydd heb y llythyren **M**.

(W) (M) (M) (A) (D)

(M) (M) (M) (N) (A)

4. Rho gylch o gwmpas pob gair sydd â **m** ynddo.

mwg   mynydd   mam-gu

mynd   mwy   neidr

mis   am   yma

amser   anodd   merch

5. Helpa Dwli i ysgrifennu.
   Ysgrifenna **M** neu **m** ar y llinell bob tro.

mis   ___ i s

mawr   ___ a w r

dydd Mawrth   d y dd ___ a w r th

mwd   ___ w d

mwnci   ___ w n c i

Medi   ___ e d i

Lliwia'r seren â'r
llythyren **m** arni yng
nghefn y llyfr.*

DWLI'S HELP FOR PARENTS:
1. Colour in every one of Dwli's footprints containing **m**.
2. Draw a line from the word beginning with **m** to the correct picture. Colour in the words beginning with **m**. (Answer: mwnci = monkey; modrwy = ring; merch = girl. Other word: iâr = hen).
3. Cross out the circles without the letter **M**.
4. Draw a circle around the word if it has **m** in it.
5. Help Dwli to write. Write **M** or **m** on the line every time. (mis = month; mawr = big/large; dydd Mawrth = Tuesday; mwd = mud; mwnci = monkey; Medi = September + girls' name).
* Colour in the **m** star at the back of the book.

CH Ch ch

1. Lliwia bob rhan o Dwli
   sydd â **CH** arno.

2. Rho gylch o gwmpas pob gair sydd â **ch** ynddo.

chwech	chwilio	parc	chwarae
heno	chwaer	edrych	chi
chwith	merch	coeden	iach

3. Rho groes dros y llythrennau sydd ddim yn y gair.

   chwibanu

   d   i   h   a   ch

   b   u   w   n   c

4. Tynna linell o dan y geiriau sydd yr un peth ym mhob llinell.

chi	chi	ni
chwech	chwaer	chwech
ein	eich	eich
chwilio	chwarae	chwilio

5. Helpa Dwli i ysgrifennu.
Ysgrifenna **Ch** neu **ch** ar y llinell bob tro.

chi   _____ i

ewch   e w _____

Chwilog   _____ w i l o g

chwith   _____ w i th

achos   a _____ o s

chwarae   _____ w a r a e

Lliwia'r seren â'r llythyren **ch** arni yng nghefn y llyfr.*

DWLI'S HELP FOR PARENTS:
1. Colour in every part of Dwli that has **CH** on it.
2. Draw a circle around every word that has a **ch** in it.
3. Cross out the letters that aren't in the word. Note: c and h don't appear in the word, but ch does.
4. Draw a line under the words that are the same in every line.
5. Help Dwli to write. Write **Ch** or **ch** on the line every time. (chi = you; ewch = go (command); Chwilog = place-name; chwith = left (as opposed to right); achos = because; chwarae = to play).
* Colour in the **ch** star at the back of the book.

DD Dd dd

1. Lliwia olion traed Dwli os oes **DD** arnyn nhw.

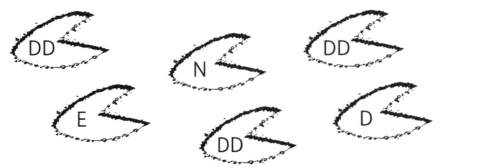

2. Rho gylch o gwmpas pob gair sydd â **dd** ynddo.

hardd	ddoe	heddiw	y ddafad
cwpwrdd	drws	dydd	roedd
parti	oedd	blaidd	y ddoli

3. Helpa Dwli i ysgrifennu. Ysgrifenna **dd** ar y llinell bob tro.

ddoe   _____ oe

dydd   d y _____

roedd   r o e _____

heddiw   h e _____ i w

mynydd   m y n y _____

Lliwia'r seren â'r llythyren **dd** arni yng nghefn y llyfr.*

DWLI'S HELP FOR PARENTS:
1. Colour in every one of Dwli's footprints containing **DD**.
2. Draw a circle around the word if it has **dd** in it.
3. Help Dwli to write. Write **dd** on the line each time. (ddoe = yesterday; dydd = day; roedd = he/she was; heddiw = today; mynydd = mountain).
* Colour in the **dd** star at the back of the book.

NG Ng ng

1. Mae Dwli wedi gwneud sawl pwff o fwg.
   Lliwia bob pwff o fwg sydd ag **NG** ynddo'n **las**.

2. Helpa Dwli i chwilio am **ng**.
   Tynna linell o dan pob **ng**.

   fy ngwallt   yng nghornel   fy mrawd

   y dosbarth   fy ngeni   parc   yng nghanol

3. Helpa Dwli i ysgrifennu. Ysgrifenna **ng** ar y llinell bob tro.

   fy ngwallt   fy _____ w a ll t

   fy ngêm   fy _____ ê m

   yng nghanol   y _____ _____ h a n o l

DWLI'S HELP FOR PARENTS:
   1. Dwli's made a few puffs of smoke. Colour every puff containing
      NG in **blue**.
   2. Help Dwli to took for **ng**. Draw a line under every **ng**.
   3. Help Dwli to write. Write **ng** on the line each time.
      (fy ngwallt = my hair; fy ngêm = my game; yng nghanol = in the middle of).
   * Colour in the **ng** star at the back of the book.

Lliwia'r seren â'r
llythyren **ng** arni yng
nghefn y llyfr.*

37

R r

1. Edrych ar fola Dwli.
   Rho gylch o gwmpas pob **R**.
   Sawl **R** sydd yna?

   Mae _____ **R** ar fola Dwli.

2. Rho gylch o gwmpas pob gair sydd â **r** ynddo.

roced	rasio	un	amser
merch	ar	dydd	Mawrth
Ebrill	pwdin	rwber	robin goch

3. Helpa Dwli i ysgrifennu. Ysgrifenna **R** neu **r** ar y llinell bob tro.

reis	__ e i s
roedd	__ o e dd
Robyn	__ o b y n
aros	a __ o s
môr	m ô __

 **DWLI'S HELP FOR PARENTS:**
1. Look at Dwli's belly. Draw a circle around every **R**.
   How many **R**'s are there? There are __ **R**'s on Dwli's belly.
2. Draw a circle around every word which has the letter **r** in it.
3. Help Dwli to write. Write **R** or **r** on the line every time.
   (reis = rice; roedd = there/he/she was; Robyn (name); aros = to wait.)
* Colour in the **r** star at the back of the book.

Lliwia'r seren â'r
llythyren **r** arni yng
nghefn y llyfr.*

RH Rh rh

1. Tynna linell o dan y geiriau sydd yr un peth ym mhob llinell.

rhosyn	cosyn	rhosyn
rhes	rhes	rhestr
rheol	rhedeg	rhedeg

2. Lliwia'r geiriau sy'n dechrau â **RH**.
   Tynna linell o'r gair sy'n dechrau â **RH** at y llun cywir.

ROBO T

RHOSYN

RHWYD

RHAFF

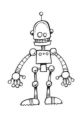

3. Helpa Dwli i ysgrifennu. Rho **Rh** neu **rh** ar y llinell bob tro.

rhedeg	＿＿＿ e d e g
Rhian	＿＿＿ i a n
rhewi	＿＿＿ e w i
rhuo	＿＿＿ u o

Lliwia'r seren â'r llythyren **rh** arni yng nghefn y llyfr.*

39

S s

1. Lliwia bob rhan o Dwli
   sydd â **S** arno.

2. Tynna linell o'r llythyren **s** at y lluniau sy'n dechrau â **s**.

s

3. Lliwia bob **s** yn **felyn** a phob **r** yn **wyrdd**.

4. Tynna linell rhwng y llythrennau sydd yr un peth.

R   S

RH   B

S   RH

DD   R

B   DD

5. Helpa Dwli i ysgrifennu.
   Ysgrifenna **S** neu **s** ar y llinell bob tro.

sedd   ___ e dd

Sara   ___ a r a

sgrin   ___ g r i n

sosban   ___ o ___ b a n

achos   a ch o ___

dydd Sadwrn   dydd ___ a d w r n

Lliwia'r seren â'r
llythyren **s** arni yng
nghefn y llyfr.*

DWLI'S HELP FOR PARENTS:
1. Colour in every part of Dwli that has **S** on it.
2. Draw a line from the letter **s** to the pictures beginning with **s**.
   (Answer: sach = sack; seren = star; sosban = saucepan; sebon = soap; sled = sledge.
   Other words: cadair = chair; oen = lamb).
3. Colour every **s** in **yellow** and every **r** in **green**.
4. Draw a line between the letters that are the same.
5. Help Dwli to write. Write **S** or **s** on the line every time.
   (sedd = seat; Sara (name); sgrin = screen; sosban = saucepan; achos = because; dydd Sadwrn = Saturday).
* Colour in the **s** star at the back of the book.

T t

1. Tynna linell o'r llythyren **t** at y lluniau sy'n dechrau â **t**.

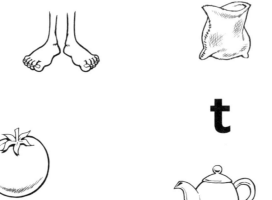

t

2. Rho groes drwy'r cylchoedd sydd heb y llythyren **T**.

T	T	S	T	D
RH	I	R	T	A

3. Helpa Dwli i ysgrifennu.
   Ysgrifenna **T** neu **t** ar y llinell bob tro.

Tomos	__ o m o s
teigr	__ e i g r
tebot	__ e b o __
eto	e __ o

Lliwia'r seren â'r llythyren **t** arni yng nghefn y llyfr.*

DWLI'S HELP FOR PARENTS:
1. Draw a line from the letter **t** to the pictures beginning with **t**.
   (Answer: telyn = harp; tebot = teapot; tomato = tomato; traed = feet.
   Other words: sach = sack; seren = star).
2. Cross out all the circles which don't contain the letter **T**.
3. Help Dwli to write. Write **T** or **t** on the line every time.
   (Tomos (name); teigr = tiger; tebot = teapot; eto = again).
* Colour in the **t** star at the back of the book.

42

TH Th th

1. Lliwia:

bob **TH** yn **las**   pob **T** yn **goch**
pob **R** yn **wyrdd**   pob **RH** yn **felyn**

Paid â lliwio'r llythrennau eraill.

TH	T	E	R	T	TH	RH
RH	W	R	RH	TH	N	T
O	TH	TH	U	R	T	R
T	RH	R	RH	TH	Y	TH

2. Helpa Dwli i ysgrifennu.
   Ysgrifenna **th** ar y llinell bob tro.

Aeth	A e __
dosbarth	d o s b a r __
wyth	w y __
gwaith	g w a i __
wythnos	w y __ n o s

Lliwia'r seren â'r llythyren **th** arni yng nghefn y llyfr.*

DWLI'S HELP FOR PARENTS:
1. Colour every **TH** in **blue**; every **T** in **red**; every **R** in **green**; every **RH** in **yellow**. Don't colour in the other letters.
2. Help Dwli to write. Write **th** on the line every time.
   (Aeth = he/she went; dosbarth = class; wyth = eight; gwaith = work; wythnos = week).
* Colour in the **th** star at the back of the book.

F ƒ

1. Edrych ar fola Dwli.
   Rho gylch o gwmpas pob **ƒ**.
   Sawl **ƒ** sydd yna?

Mae ___ **ƒ** ar fola Dwli.

2. Rho gylch o gwmpas pob gair sydd â **ƒ** ynddo.

ƒan	ƒy	ƒicer	cath
i ƒyny	aƒon	tebot	coƒio
eƒallai	ƒideo	eƒallai	ƒi

3. Tynna linell rhwng y llythrennau sydd yr un peth:

R	F
TH	RH
T	TH
F	T
RH	R

DWLI'S HELP FOR PARENTS:
1. Look at Dwli's belly. Draw a circle around every **ƒ**. How many **ƒ**'s are there?
2. Draw a circle around every word containing the letter **ƒ**.
3. Draw a line between the letters that are the same.

* Colour in the **ƒ** star at the back of the book.

Lliwia'r seren â'r llythyren **ƒ** arni yng nghefn y llyfr.*

44

FF Ff ff

1. Lliwia olion traed Dwli os oes FF arnyn nhw.

2. Rho gylch o gwmpas y lluniau sy'n dechrau â ff.

3. Helpa Dwli i ysgrifennu.
   Rho f neu ff ar y llinell. Bydd yn ofalus!

fy ffrind	__ y ____ r i n d
yfed	y __ e d
i ffwrdd	i ____ w r dd
fforc	____ o r c

DWLI'S HELP FOR PARENTS:
1. Colour in every one of Dwli's footprints containing **FF**.
2. Draw a circle around the pictures beginning with **ff**.
   (Answer: ffidil = violin; fforc = fork; ffôn = phone; ffrog = dress.
   Other words: llong = ship; dewin = wizard).
3. Help Dwli to write. Write **f** or **ff** the line. Be careful!
   (fy ffrind = my friend; yfed = to drink; i ffwrdd = away; fforc = fork).
* Colour in the **ff** star at the back of the book.

Lliwia'r seren â'r
llythyren **ff** arni yng
nghefn y llyfr.*

L l

1. Tynna linell o'r llythyren **l** at y geiriau sy'n dechrau â **l**.

l

2. Rho gylch o gwmpas pob gair sydd â **l** ynddo.

lorri	glan	ffrind	ail
bol	lolipop	teigr	daffodil
eliffant	dolffin	rhuo	lindysyn

3. Lliwia bob rhan o Dwli sydd â **L** arno.

DWLI'S HELP FOR PARENTS:
1. Draw a line from the letter **l** to the words beginning with **l**.
   (Answer: lamp = lamp; lolipop = lollypop; lorri = lorry; lindys = caterpillar; lemwn = lemon. Other word: cadair = chair).
2. Draw a circle around every word with the letter **l** in it.
3. Colour in every part of Dwli which has **L** on it.
* Colour in the **l** star at the back of the book.

Lliwia'r seren â'r llythyren **l** arni yng nghefn y llyfr.*

LL Ll ll

1. Rho gylch o gwmpas pob gair sydd â **ll** ynddo.

llaw	pell	pêl	castell
allan	llew	ystafell	llawn
llygad	allan	robin	lleuad

2. Rho groes dros y llythrennau sydd ddim yn y gair.

llyffant

a	ll	ff	t	th
f	u	y	n	l

3. Helpa Dwli i ysgrifennu. Rho **Ll** neu **ll** ar y llinell bob tro.

llew   _____ e w

Llanelli   _____ a n e _____ i

allan   a _____ a n

llyfrgell   _____ y f r g e _____

DWLI'S HELP FOR PARENTS:
1. Draw a circle around every word containing the letter **ll**.
2. Cross out the letters that aren't in the word.
3. Help Dwli to write. Write **Ll** or **ll** on the line.
(llew = lion; Llanelli (place-name); allan = out; llyfrgell = library).
* Colour in the **ll** star at the back of the book.

Lliwia'r seren â'r llythyren **ll** arni yng nghefn y llyfr.*

Rwyt ti'n un o sêr Dwli!

o   a   c   e   i

w   u   y   g   b

p   d   n   h   m

ch   dd   ng   r   rh

s   t   th   f

ff   l   ll

DWLI'S HELP FOR PARENTS:
You are one of Dwli's stars!
Well Done!

DA IAWN TI!

48